Nicolò Paganini

VALTZ

M.S. 80

Edizione critica di | *Critical edition by* Italo Vescovo

RICORDI

Traduzione di | *Translation by* Avery Gosfield

via B. Crespi, 19 – 20159 Milano – Italy

NR 142000
ISMN 979-0-041-42000-4

Sommario | Contents

RINGRAZIAMENTI · Desidero ringraziare la Biblioteca Casanatense di Roma, proprietaria del *Valtz* per violino solo (M.S. 80) di Nicolò Paganini, per avermi concesso l'autorizzazione a pubblicare l'opera.

ACKNOWLEDGEMENTS · I would like to thank the Biblioteca Casanatense in Rome, owner of Nicolo Paganini's *Valtz* for solo violin (M.S. 80), for permitting me to publish this work.

INTRODUZIONE

Come documenta il nuovo *Catalogo tematico*,[1] le opere per violino solo di Nicolò Paganini, costituendo un *corpus* a sé stante, rappresentano un aspetto particolarmente significativo della sua produzione musicale. Tale produzione, che vede al centro i *Ventiquattro Capricci* op. 1 pubblicati da Ricordi nel 1820, comprende composizioni di vario carattere e struttura e scritte in momenti diversi, quali *Inno patriottico*, *Tema variato* e *Sonata a violin solo* appartenenti al periodo giovanile (probabilmente prima del 1805),[2] la *Sonata a violino solo* (nota anche come *Merveille de Paganini*), scritta nel periodo lucchese (1805-1809) e dedicata alla principessa Elisa Baciocchi, e altri brani appartenenti a un periodo successivo quali il *Capriccio a violino solo* del 1821 su "In cor più non mi sento", il *Capriccio per violino solo*, un singolare brano vergato su quattro pentagrammi scritto a Vienna nel 1828, le variazioni su *God Save The King* del 1829 e il *Caprice d'adieu* del 1833.

Di seguito l'elenco delle composizioni per violino solo secondo il CTA:

M.S. 6	*Sonata a violino solo*
M.S. 25	*Ventiquattro Capricci* op. 1
M.S. 44	*Capriccio a violino solo* «In cor più non mi sento»
M.S. 54	*Capriccio*
M.S. 56	*God Save The King*
M.S. 68	*Caprice d'adieu*
M.S. 80	[*Valtz*]
M.S. 81	*Inno patriottico*
M.S. 82	*Tema variato*
M.S. 83	*Sonata a violin solo*
M.S. 136	*Contradanze inglesi*
M.S. 138	*Quattro studi*

In sostanza, se si escludono i 24 capricci, che costituiscono la parte indiscutibilmente più importante – la più studiata ed eseguita – e qualche altro titolo, il resto delle composizioni per violino solo non ha registrato nel tempo un particolare interesse da parte degli studiosi (e degli interpreti) del grande violinista, che hanno trascurato, di fatto, alcune pagine musicalmente interessanti che per carattere e originalità meriterebbero un maggiore approfondimento critico. Tra queste la *Sonata a violino solo* M.S. 6 (*Merveille de Paganini*), il *Caprice d'adieu* M.S. 68, il *Capriccio a violino solo* «In cor più non mi sento» M.S. 44, il *Tema variato* M.S. 82 e il *Capriccio per violino solo* M.S. 54, pubblicate recentemente in edizione critica a cura dello scrivente.[3] La presente edizione, che si inserisce in questo ambito di indagine sulle opere "minori" per violino, prende in esame il *Valtz* M.S. 80. La sua pubblicazione ha come scopo principale quello di contribuire a completare il variegato quadro di insieme delle opere per violino solo del grande musicista genovese che comprende, per l'appunto, sia capolavori come i *Ventiquattro Capricci* op. 1, sia brevi pagine di occasione come il *Capriccio* M.S. 54 e questo breve ma gustoso *Valtz*.

Il *Valtz* in La maggiore M.S. 80 (il titolo non è presente nell'autografo ma è desunto dalle caratteristiche musicali che lo accomunano ad altre composizioni paganiniane intitolate «Valtz»), è una breve composizione di struttura tripartita (A-B col *Da Capo*-A) che curiosamente si trova collocata all'interno del manoscritto autografo delle *37 Sonate* per chitarra M.S. 84. Il brano, tra l'altro, corrisponde alla parte del violino primo relativa al *Valzer n. 2* dei *Divertimenti carnevaleschi* (cfr. Fonti), portando quindi a dubitare che si tratti di una pagina pensata per violino solo. Chi scrive, tempo fa, è stato indotto, ritenendolo mutilo di uno strumento di sostegno, a realizzarne una versione con chitarra (cfr. Fonti).

1. Maria Rosa Moretti e Anna Sorrento, *Catalogo tematico delle musiche di Niccolò Paganini. Aggiornamento*, a cura di Maria Rosa Moretti e Anna Sorrento. Introduzione e Appendici a cura di Maria Rosa Moretti, Milano, Associazione Culturale Musica con le Ali, 2018. A questo catalogo, d'ora in avanti CTA, si riferisce la sigla M.S.

2. Delle tre composizioni giunte in copia non autografa, *Inno patriottico* potrebbe non essere per violino solo, ma verosimilmente una composizione per violino e chitarra, dato che sul frontespizio, in basso a destra, si legge «violino», a indicare che si tratta della parte relativa a quest'ultimo strumento. Cfr. Moretti e Sorrento, *Catalogo tematico delle musiche di Niccolò Paganini*, Genova, Comune di Genova, 1982, p. 255; CTA pp. 256-257 (cfr. nota 1).

3. Rispettivamente nel 2016, 2017, 2018 e 2019 per i tipi di Casa Ricordi.

Tale scelta è stata suggerita sia dal fatto che il brano si trova all'interno di un fascicolo interamente dedicato a questa strumento, sia dalla presenza, nel catalogo paganiniano, di un *corpus* davvero consistente di composizioni per violino e chitarra. Un possibile chiarimento al riguardo viene dal recente CTA, nella scheda relativa ad «Alessandrine – Valtz – Inglesi» M.S. 137, musiche composte per il «Festone dei Giustiniani».[4] In questa scheda, infatti, si fa riferimento a un

> repertorio popolare che incontriamo con notevole frequenza nella produzione paganiniana di primo Ottocento e che prevede l'impiego di organici strumentali diversi. In questo caso l'organico si estende dal solo violino per le Alessandrine e i Valtz a un insieme allargato a 2 violini, corni e basso per le Inglesi.[5]

«Alessandrine» e «Valtz» per violino solo quindi. Riguardo poi al fatto che una composizione possa essere riutilizzata, non deve meravigliare più di tanto. I cosiddetti "autoimprestiti", cioè le composizioni scritte per uno strumento e poi riutilizzate in altri brani (ad esempio il *Valtz* del *Cantabile a Minuetto e Valtz* M.S. 126 per violino e chitarra, che diventerà, sia pur elaborato, il *Rondò* del *Quinto Concerto* per violino e orchestra M.S. 78), non sono così infrequenti nella produzione paganiniana, come facilmente si può constatare sfogliando sia il *Catalogo Tematico* sia il CTA. Ciò detto, e considerando che il *Valtz* è classificato anche nel recente CTA tra le opere per violino solo (col titolo posto tra parentesi quadre), si è ritenuto opportuno pubblicarlo nella sua veste autografa, rendendolo così fruibile a violinisti e studiosi dell'opera paganiniana.

4. Come per i *Divertimenti carnevaleschi*, anche queste danze furono composte da Paganini per il «Festone dei Giustiniani», che si svolgeva in un palazzo del centro storico di Genova. Nel grande salone vi si svolgevano pubbliche feste da ballo, accademie musicali, carnevali e altre forme di spettacolo.

5. Moretti e Sorrento, CTA, p. 42. Nella descrizione di questo autografo, si fa esplicito riferimento a «4 valzer per violino». Sempre nel CTA (pp. 38-41), si registra anche la presenza di «24 Contradanze Inglesi» M.S. 136, per violino solo, recentemente pubblicate in N. Paganini, *24 Capricci per Violino solo op. 1 e 24 Contradanze Inglesi per Violino solo*, Erstausgabe, Urtext, Herausgegeben von Daniela Macchione, Kassel, Bärenreiter, 2013.

FONTI

Autografo
L'autografo del *Valtz* M.S. 80, custodito presso la Biblioteca Casanatense a Roma, si trova nel fascicolo delle *37 Sonate* M.S. 84 per chitarra (dopo il *Perligordino* della *Sonata* n. 17), occupando le ultime quattro righe della pagina.[6] Privo di titolo e di indicazioni dinamiche, il brano reca all'inizio «1.mo / Violino», rinviando, come è stato già detto, alla parte di primo violino del *Valzer n.* 2 dei *Divertimenti carnevaleschi*.

6. Il manoscritto delle *37 Sonate* è formato da un insieme di carte che recano una collocazione progressiva da Ms. Cas. 5607 a 5617. Il *Valtz* M.S. 80 si trova a carta 1*v* del Ms. Cas. 5612.

Edizioni
Nicolò Paganini, *Divertimenti carnevaleschi* per due violini e basso M.S. 4, edizione critica a cura di Italo Vescovo e Flavio Menardi Noguera, Milano, Edizioni Suvini Zerboni, 2011 (lastra S.13740 Z).

Il *Valtz* M.S. 80 corrisponde al secondo dei *Quattro Valzer con Trio e Minore* compresi nell'opera. Il *Minore*, diversamente dall'autografo, qui è indicato come movimento autonomo, come si registra nel manoscritto (unico testimone dell'opera) conservato presso la Biblioteca del Conservatorio "Niccolò Paganini" di Genova.

Nicolò Paganini, *6 Piccoli Valtz per violino e chitarra*, revisione e realizzazione della parte di chitarra a cura di Italo Vescovo, Bologna, Ut Orpheus, 2017 (lastra CH 248).

Il *Valtz* M.S. 80 è stato pubblicato assieme ad altri brani che recano lo stesso titolo nel volume *6 Piccoli Valtz* per violino e chitarra, con la parte di chitarra realizzata da chi scrive. Si tratta di una pubblicazione che recupera sei piccole composizioni autografe di cui si ha solo la parte di violino (le altre cinque sono presenti nell'autografo dei *Ghiribizzi* per chitarra M.S. 43).

CRITERI DELL'EDIZIONE

La presente edizione è basata sull'autografo custodito presso la Biblioteca Casanatense di Roma, confrontato con le edizioni Suvini Zerboni e Ut Orpheus (cfr. Fonti).

Tutte le scritte autografe di carattere musicale sono state conservate e riportate in corsivo, gli interventi editoriali sono riportati tra parentesi quadre.

Nel rispetto della lezione autografa, si è preferito non aggiungere le indicazioni dinamiche (in Nota vengono riportate quelle presenti nelle due fonti collazionate con l'autografo).

ABBREVIAZIONI

UO Bologna, Ut Orpheus (2017)
ESZ Milano, Edizioni Suvini Zerboni (2011)

Vl Violino
B Basso

b./bb. battuta/e
I, II ecc. primo, secondo ecc. tempo della battuta

Le note musicali sono citate nelle Note critiche seguendo il sistema sotto esposto:

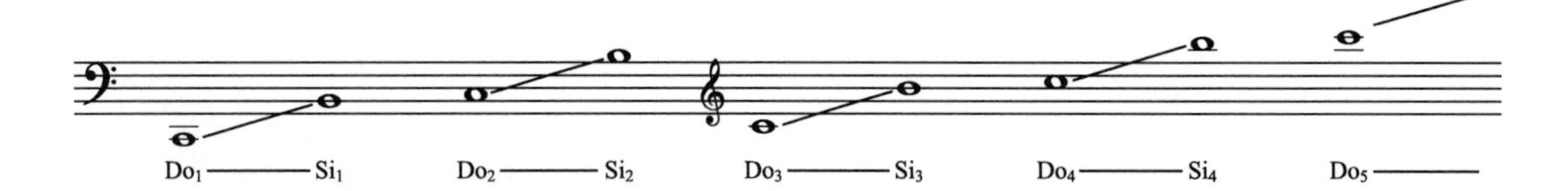

Il segno «-» posto tra due o tre note indica la successione melodica dei suoni.

INTRODUCTION

As can be seen in the revised *Catalogo tematico* (Thematic Catalogue),[1] Nicolò Paganini's works for solo violin, which constitute a *corpus* in themselves, are one of the most significant components of his musical production. These works, with the *24 Capricci* op. 1 published by Ricordi in 1820 at their core, are made up of compositions that encompass a number of contrasting characters and structures that were written during different periods of Paganini's life, such as the *Inno patriottico, Tema variato* and *Sonata a violin solo* (all probably written before 1805),[2] belonging to his juvenile period, as well as the *Sonata a violino solo* (also known as *Merveille de Paganini*), dedicated to Princess Elisa Baciocchi, that was composed during his stay in Lucca (1805-1809). The *Capriccio a violino solo* on "In cor più non mi sento", written in 1821, like the singular *Capriccio per violino* (notated using an unusual four stave system) composed in Vienna in 1828, the variations on *God Save the King* (1829) and the *Caprice d'adieu* (1833) all date from a later period.

Here is the list of compositions for solo violin according to the revised Thematic Catalogue (TC):

M.S. 6 *Sonata a violino solo*
M.S. 25 *Ventiquattro Capricci* op. 1
M.S. 44 *Capriccio a violino solo* «In cor più non mi sento»
M.S. 54 *Capriccio*
M.S. 56 *God Save The King*
M.S. 68 *Caprice d'adieu*
M.S. 80 [*Valtz*]
M.S. 81 *Inno patriottico*
M.S. 82 *Tema variato*
M.S. 83 *Sonata a violin solo*
M.S. 136 *Contradanze inglesi*
M.S. 138 *Quattro studi*

In essence, besides the 24 caprices, without a doubt the most important, the most studied and the most performed of this group, and a few other compositions, none of the other works for solo violin have generated particular interest on the part of scholars (or performers) of the works of the great violinist, to the detriment of a group of pieces that deserve greater consideration and study for their originality and distinctive character. Some examples are the *Sonata a violino solo* M.S. 6 (*Merveille de Paganini*), the *Caprice d'adieu* M.S. 68, the *Capriccio per violino solo* on "In cor più non mi sento" M.S. 44, the *Tema variato* M.S. 82 and the *Capriccio per violino solo* M.S. 54, all of which have been recently published in critical edition by the author.[3] The present critical edition, part of a study dedicated to 'minor' violin works, takes a look at the *Valtz* M.S. 80. It completes the multi-faceted overview of the great Genovese musician's works for solo violin, made up of both masterworks, like the *24 Capricci* op. 1, and small compositions, such as the *Capriccio* M.S. 54 and this brief, appealing *Valtz*.

The *Valtz* in A Major M.S. 80 (although not so named in the autograph source, its title can be inferred from the stylistic characteristics it has in common with other Paganinian works with the "Valtz" indication) is a short tripartite composition (A-B with *Da Capo*-A) that, curiously enough, was found tucked inside the autograph manuscript of the *37 Sonate* for guitar M.S. 84. In addition, the work is closely related to the first violin part of the *Valzer n. 2* from the *Divertimenti carnevaleschi* (see Sources) therefore making it somewhat doubtful that we are dealing with music conceived for solo violin. Earlier on, this author, who holds the view that the part, as it stands, is missing an original, lost, instrumental accompaniment, was prompted

1. Maria Rosa Moretti and Anna Sorrento, *Catalogo tematico delle musiche di Niccolò Paganini*. Revised, by Maria Rosa Moretti and Anna Sorrento. Introduction and Appendices by Maria Rosa Moretti, Milano, Associazione Culturale Musica con le Ali, 2018. All of the manuscript sigla used here are taken from this catalogue, henceforth referred to as TC.

2. Of the three compositions that have come down to us in non-autograph copies, the *Inno patriottico* could conceivably be a composition for violin and guitar rather than one for solo violin, given that on the lower right part of the frontispiece, the word "violino" can be seen, indicating that we are dealing with only the part relative to that instrument rather than a complete piece. See: Moretti and Sorrento, *Catalogo tematico delle musiche di Niccolò Paganini*, Genova, Comune di Genova, 1982, p. 255; TC, pp. 256-257 (see footnote 1).

3. In 2016, 2017, 2018 and 2019 respectively, for the presses of Casa Ricordi.

to realise a version with guitar (see Sources). This choice was driven both by the work being situated inside of a fascicle dedicated entirely to the guitar and by the presence, in Paganini's catalogue, of a quite substantial *corpus* of compositions for violin and guitar. One possible explanation regarding this comes from the most recent revised Thematic Catalogue (TC), in the entry relative to his "Alessandrine - Valtz – Inglesi" M.S. 137, music composed for the "Festone dei Giustiniani".[4] In this entry, in fact, there is a reference to a

> popular repertoire that we come across with notable frequency in Paganini's early 19th century compositions, which calls for ensembles made up of different combinations of instruments. In this case, the makeup of the ensembles ranges from solo violin for the Alessandrine and Valtz to an extended ensemble including two violins, French horns and bass for the Inglesi.[5]

Therefore, it could be said that, at least in this instance, the "Alessandrine" and the "Valtz" were meant for solo violin. This should not be too much of a surprise, if we consider the fact that compositions are often recycled. This so-called 'self-borrowings', in other words, compositions written for one instrument and later reused in another piece (for example the *Valtz* from the *Cantabile a Minuetto e Valtz* M.S. 126 for violin and guitar, which would become, granted in a somewhat more elaborate form, the *Rondò* of the *Quinto Concerto* for violin and orchestra M.S. 78), are not so unusual to find among Paganini's works, as can easily be noted when leafing through either the Thematic Catalogue or the TC. This said, and considering that the *Valtz* is also placed, in the recent TC, among the works for solo violin, (with the title put between square brackets), it was thought that it might be appropriate to publish it in its original, autograph form, thus putting it to the disposition of violinists and scholars of Paganini's work.

4. As with the *Divertimenti carnevaleschi*, these dances were composed by Paganini for the "Festone dei Giustiniani", held in a building in Genova's historical centre. Public balls, musical academies, carnivals and other forms of entertainment all took place in the great hall.

5. MORETTI and SORRENTO, TC, p. 42. In the description of this autograph manuscript, there is a clear reference to «4 valzer per violino» [4 valses for violin]. The same TC also mentions the presence of the «24 Contradanze Inglesi» [24 English Counterdances] M.S. 136, for solo violin (TC, pp. 38-41), recently published in N. PAGANINI, *24 Capricci per Violino solo op. 1 e 24 Contradanze Inglesi per Violino solo*, Erstausgabe, Urtext, Herausgegeben von Daniela Macchione, Kassel, Bärenreiter, 2013.

SOURCES

Autograph

The autograph manuscript of the *Valtz* M.S. 80, held in the Biblioteca Casanatense in Rome, is found at the interior of a fascicle containing the *37 Sonate* M.S. 84 for guitar (after the *Perligordino* of *Sonata* n. 17), taking up the last four lines of the page.[6] Void of title or dynamic indications, the piece bears the indication "1.mo / Violino" referring to, as has already been stated, to the first violin part of the *Valzer n.* 2 of his *Divertimenti carnevaleschi*.

6. The manuscript of the *37 Sonate* is made up of a group of pages that carry the successive signatures of Ms. Cas. 5607 to 5617. The *Valtz* M.S. 80 is on page 1*v* of Ms. Cas. 5612.

Modern Editions

Nicolò Paganini, *Divertimenti carnevaleschi* for two violins and bass M.S. 4, critical edition edited by Italo Vescovo and Flavio Menardi Noguera, Milano, Edizioni Suvini Zerboni, 2011 (plate S.13740 Z).

The *Valtz* M.S. 80 corresponds to the second of the *Quattro Valzer con Trio e Minore* from this collection. The *Minore*, as opposed to in the autograph manuscript, is indicated here as an independent movement, as can be seen in the manuscript (the only copy of this work) conserved in the library of the Conservatorio "Niccolò Paganini" of Genova.

Nicolò Paganini, *6 Piccoli Valtz per violino e chitarra*, guitar part realised and revised by Italo Vescovo, Bologna, Ut Orpheus, 2017 (plate CH 248).

The *Valtz* M.S. 80 has been published together with other works bearing the same indication in the collection *6 Piccoli Valtz* for violin and guitar, with the guitar part realised by the present author. It is a publication that recoups six small autograph compositions for which only the violin part survives (the other five can be found in the autograph copy of the *Ghiribizzi* for guitar M.S. 43).

EDITORIAL CRITERIA

The present edition is based on the autograph manuscript held in the Biblioteca Casanatense of Rome, which is compared with the Suvini Zerboni and Ut Orpheus editions (see Sources).

All of the musical indications found in the autograph have been preserved and are noted in italics, while the editor's contributions have been placed between square brackets.

In order to respect the writing in the autograph, we have chosen not to add any dynamic indications (those present in the two sources collated with the autograph are pointed out in the Notes).

ABBREVIATIONS

UO Bologna, Ut Orpheus (2017)
ESZ Milan, Edizioni Suvini Zerboni (2011)

Vl Violin
B Bass

b./bb. bar/bars
I, II etc. first, second (etc.) beat of the measure

Pitches are cited in the Critical Notes according to the system below:

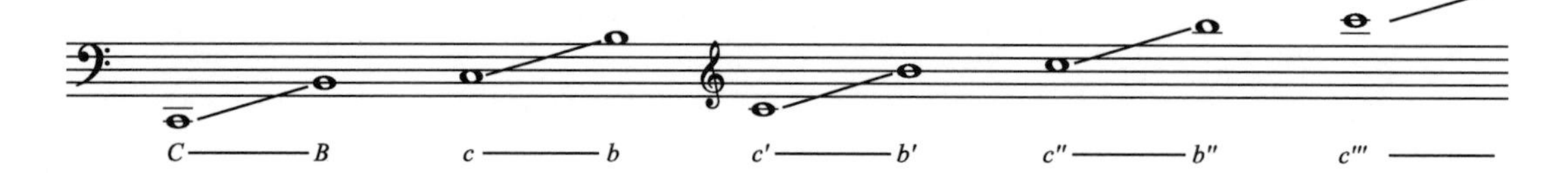

A "-" sign put between two or three notes indicates a melodic succession.

Nicolò Paganini

VALTZ

(M.S. 80)

NOTE CRITICHE

1 (levare)
UO = [***p***]. L'indicazione è stata estesa anche a 12 III stesso disegno.

1, 12 III – 13

ESZ =

Stesso disegno si registra a 4 III – 5, con lo staccato a 4 III tra parentesi quadre.

2 III, 6 III, 14 III
ESZ: legature tra *do* ♯^{4}-*la*^{3} semicrome.

6 I
ESZ = ***sf***

8 III
UO, ESZ = [***f***]; in **ESZ** l'indicazione è stata estesa da Vl II e B che a 9 recano ***f***.

9-11 I
ESZ =

16 III
UO (= levare di 1 **ESZ**): *Minore*, rispettivamente [***p***], ***p***. Da questo punto in avanti le due edizioni recano in Nota una diversa numerazione di bb.: in **UO** va da 1 a 32, in **ESZ** si articola in due movimenti (il *Minore* è un movimento a sé stante) di 16 bb. ciascuno.

1

ESZ (= 17 di **UO**) =

3 II-III, 5 II-III, 7 II-III
ESZ (= 19, 21, 23 di **UO**): legatura sulle quattro semicrome (quella a 7 è tratteggiata).

4 III
ESZ (= 20 di **UO**): legatura tra *la*^{4}-*si*^{4} semicrome.

8 III
ESZ (= 24 di **UO** che reca [***f***]) = ***f*** con la legatura a *sol*^{4}-*mi*^{4} semicrome.

12 III
ESZ (= 28 di **UO** che reca [***p***]) = ***p***

15 I
ESZ (= 31 di **UO**): seconda semicroma *re*^{4}.

CRITICAL NOTES

1 (upbeat)
UO = [***p***]. This indication has also been used in 12 III which uses the same figure.

1, 12 III – 13

The same figure can be found in 4 III – 5, with the staccato marking at 4 III placed between square brackets.

2 III, 6 III, 14 III
ESZ: slur linking the semiquavers $c\sharp^4$ and a^3.

6 I
ESZ = ***sf***

8 III
UO, ESZ = [***f***]; in **ESZ** the indication can also be found in Vl II and the Bass, which have a ***f*** marking in 9.

9-11 I
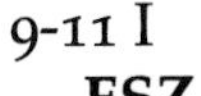
ESZ =

16 III
UO (= upbeat to m. 1 **ESZ**): *Minore*, [***p***], ***p***, respectively. From this point on, the two editions have dfferent measure numbers: in **UO** they go from 1 to 32, while in **ESZ** they are separated into two movements (the *Minore* is considered a movement on its own) of 16 bb. each.

1

ESZ (= 17 in **UO**) =

3 II-III, 5 II-III, 7 II-III
ESZ (= 19, 21, 23 in **UO**): slur above the four semiquavers (that in 7 is dotted).

4 III
ESZ (= 20 in **UO**): slur between the semiquavers a^4 and b^4.

8 III
ESZ (= 24 in **UO** has a [***f***]) = ***f*** with a slur between the semiquavers g^4 and e^4.

12 III
ESZ (= 28 in **UO** has a [***p***]) = ***p***

15 I
ESZ (= 31 in **UO**): the second semiquaver is a d^4.